À tous les dévoreurs de livres, bon appétit !
OL

À Laurent.
ET

Le loup
qui n'aimait pas lire

Texte de Orianne Lallemand
Illustrations de Éléonore Thuillier

AUZOU

Il était une fois un loup qui dévorait les livres : les petits, les grands, les contes, les dictionnaires, les romans... Tous passaient sous sa dent acérée. Il ne pouvait pas s'en empêcher : il adorait le goût du papier.

Il s'appelait Loup.

« Mais n'as-tu jamais envie de savoir
ce qu'il se passe dans les histoires ?
lui demanda un jour Louve, agacée.
Lire, c'est vivre des aventures, rêver !
– Je préfère vivre des aventures pour de vrai !
répliqua Loup. Quand je lis, je m'ennuie...

– Ah oui ? fit Maître Hibou. Je te parie qu'avec ce livre-là,
tu ne t'ennuieras pas. Nous l'avons choisi tous ensemble pour toi.
– Et nous ne jouerons pas avec toi tant que tu ne l'auras pas lu »,
ajouta Valentin.

De retour chez lui, Loup s'installa dans son fauteuil avec le livre.

En bougonnant, il tourna
une page, puis deux...
à la troisième, il dormait.

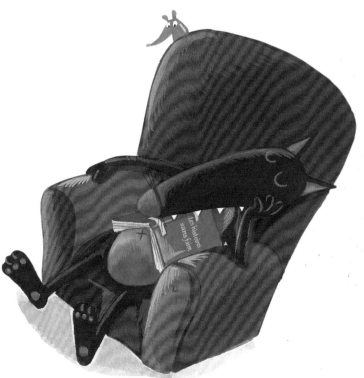

Loup fut tiré du sommeil par une voix qui se lamentait.
Il regarda autour de lui : il n'était plus dans son salon,
mais dans une forêt pleine de livres !

Au milieu des arbres, un vieil écureuil gémissait :
« Où donc les ai-je posés ? Ah, vraiment,
je ne sais pas ce que j'en ai fait...

– Ce que vous avez fait de quoi ?
demanda Loup, poliment.
– De mes livres, voyons ! Dix livres
ont disparu ! »

Loup se frotta les yeux, il devait rêver !
« Qui êtes-vous ? s'étonna-t-il, et où suis-je ?
– Je suis le Bibliothécaire, voyons, Loup ! répondit l'écureuil,
et tu es au Pays des livres, dans la Grande Bibliothèque. Ici sont
conservés tous les livres écrits depuis la nuit des temps !
Mais il m'en manque dix, vois-tu !

– Je peux vous aider à les chercher, si vous voulez ? proposa Loup,
impressionné.

– Je t'en serais très reconnaissant. Si tu les retrouves, mets-les
dans cette sacoche, s'il te plaît. »

Enchanté à l'idée de
se balader, Loup s'éloigna.
Il fut bientôt arrêté par
des éclats de voix : un corbeau
était perché dans un arbre,
au-dessous, un renard
se moquait. Loup se dit
qu'il les avait déjà vus
quelque part...

« Hier, tu m'as pris mon fromage !
cria le corbeau, et maintenant, tu
me chipes mon livre !
– Ce n'est pas ton livre, c'est le mien ! »
riposta le renard en posant l'ouvrage
dans son panier.

Les voyant occupés à se disputer, Loup s'empara du livre et s'éclipsa.
Et un livre de retrouvé !

Loup s'installa avec le livre. Il avait *terriblement* envie de le grignoter... C'est alors qu'un lapin blanc très pressé, portant une montre à gousset et un livre sous le bras, passa devant lui. Il disparut dans un terrier en murmurant : « Par mes oreilles et mes moustaches, je suis en retard ! Comme je suis en retard ! »

Sans hésiter, Loup le suivit.
Il parcourut un long tunnel et déboucha dans une pièce pleine
à craquer. Il y flottait une délicieuse odeur de pain grillé, de beurre
et de crème à la vanille.

« Bienvenue au Pays des merveilles, le salua le lapin.
Pourquoi me suis-tu ?

– Je cherche les livres que le Bibliothécaire a perdus.
Il me semble que tu en as un…

– Celui-là ? fit le lapin. Il parle d'Alice et de moi…
Passionnant !

– Il est à toi si tu prends le thé avec nous », ajouta
un drôle de chat, qui souriait de toutes ses dents.

« Et de deux ! » pensa Loup en glissant le livre dans sa sacoche. Puis il s'installa à table. **Mmmm !** Tout ceci avait l'air très appétissant.

Après le thé, Loup salua la compagnie, choisit une porte et se retrouva… dans la jungle ! Il fit quelques pas et fut presque déçu d'apercevoir deux livres, abandonnés sur un rocher. Décidément, ces livres étaient trop faciles à trouver !

« Deux plus un, ça fait trois ; plus un, quatre !
s'exclama Loup, avant d'être bousculé par
un garçonnet chevauchant une panthère noire.
– Si j'étais toi, je ne resterais pas là, lui cria
la panthère. Shere Khan le tigre est à nos trousses ! »

À ces mots, un rugissement terrible retentit,
si terrible que Loup en demeura pétrifié.

RRRRRrrrrr !

« Grimpe à cet arbre, vite ! »
ordonna une voix tombée du ciel.
Loup ne se le fit pas dire deux fois :
il escalada l'arbre à toute allure.

Au sommet, quelqu'un l'attendait.

« Qui es-tu ? demanda Loup.

– Je m'appelle Peter Pan. Et toi, tu es Loup ! répondit le garçon, amusé. Tu as vraiment le chic pour te trouver là où il ne faut pas... Allez, suis-moi ! Je t'emmène au Pays imaginaire. »

Quelques pincées de poudre magique plus tard,
Loup planait dans les airs avec Peter Pan.
Hélas, son plaisir ne dura pas : un énorme filet s'abattit
sur les deux amis.

« Enfin, je te tiens, Peter Pan ! jubila un affreux pirate.
Et qu'as-tu avec toi ? Nom d'un crocodile ! Un loup !
– Relâche-le, Crochet, le menaça Peter Pan,
il n'a rien à voir dans l'histoire.

– Que nenni !
répondit le pirate.
Tes amis sont mes
ennemis, je le garde ! »

Enfermé dans la cabine du bateau pirate, Loup bâilla : toutes ces aventures, c'était très fatigant. Il s'allongea sur le lit et découvrit, enfouis sous l'oreiller, deux nouveaux livres.

Le premier livre était une histoire d'île au trésor : « Et de cinq ! » se réjouit Loup. Le second montrait un sous-marin attaqué par une pieuvre géante : « Et de six », frissonna Loup en l'ouvrant timidement...

Aussitôt il y eut un terrible **CRAAAC !** et le bateau
commença à se remplir d'eau. Que se passait-il encore ?
Paniqué, Loup réussit à s'échapper par une fenêtre,
mais la mer était déchaînée, il ne pouvait pas nager !

Alors qu'il allait se noyer, un requin passa par là et... l'avala.
À l'intérieur, c'était la caverne d'Ali Baba !

Furetant par-ci et par-là, Loup dénicha quatre livres. Il y était question d'Aladdin, de djinns, de quarante voleurs et d'un certain Sinbad le marin.

« Six livres plus un, ça fait sept ; plus un, huit ; plus un, j'en suis à neuf ; plus le dernier, on arrive à dix ! compta Loup, ravi. Mission accomplie ! Ne reste plus qu'à sortir d'ici... »

« On est coincés, comme toi, l'interpella alors un pantin, dissimulé dans un coin. Mais avec mon papa Gepetto, on a une idée : on va allumer un feu et le requin nous recrachera ! Veux-tu nous aider ? »

Loup et le pantin, qui s'appelait Pinocchio, rassemblèrent un gros tas de bois, puis Gepetto alluma le feu. Cela fit beaucoup de fumée et...

ATCHOUM ! le requin éternua. *Illico presto*, les trois compères s'envolèrent sur un tapis volant, qui lui aussi, voulait prendre l'air.

Après avoir reconduit Gepetto et Pinocchio chez eux, le tapis déposa
Loup dans la Grande Bibliothèque.
« Ah, te voilà, Loup ! souffla le Bibliothécaire, soulagé.
Je me demandais où tu étais passé.
– Voici vos dix livres, répondit Loup avec fierté, je les ai tous retrouvés !
– Vraiment ? Merci, mon ami ! Décidément, tu es épatant ! »

Et tandis que le vieil écureuil remettait
les dix livres à leur place, il y eut comme un gros soupir
qui venait de toutes les pages refermées et **pffff...**

Loup se retrouva dans son fauteuil.

Avec excitation, il se replongea dans son livre. Il se posait mille questions : où était le Pays des merveilles ? Qui était le garçon qui chevauchait une panthère ? Peter Pan avait-il échappé au vilain Crochet ?

Loup était tellement absorbé par sa lecture
qu'il n'entendit pas ses copains entrer.

« Salut Loup, tu viens jouer avec nous ?
demanda Valentin.
— Plus tard, les amis, répondit Loup.
Vous voyez bien que je lis ? »

Dans cette aventure, Loup a retrouvé les livres suivants :

• *Fables*, de La Fontaine
• *Alice au Pays des merveilles*, de Lewis Carroll
• *Tarzan, seigneur de la jungle*, d'Edgar Rice Burroughs
• *Le Livre de la jungle*, de Rudyard Kipling
• *L'Île au trésor*, de R. L. Stevenson
• *Vingt mille lieues sous les mers*, de Jules Verne
• 4 contes des *Mille et Une Nuits*

Et il a rencontré les héros de ces livres :
• *Peter Pan*, de J. M. Barrie
• *Les aventures de Pinocchio*, de Carlo Collodi

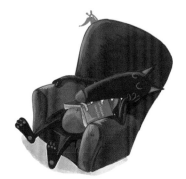

Responsable éditoriale : Agathe Lème-Michau
Éditrice : Marie Marin
Responsable studio graphique : Alice Nominé
Conception graphique : Ève Gentilhomme
Responsable fabrication : Jean-Christophe Collett
Fabrication : Virginie Champeaud

© 2017, éditions Auzou.

www.auzou.fr

 Rejoignez–nous sur Facebook et suivez l'actualité des éditions Auzou.
www.facebook.com/auzoujeunesse

Mes p'tits albums de Loup

Mes grands albums de Loup